D1098083

EDWIN FISCHER

MUSIKALISCHE BETRACHTUNGEN

INSEL-VERLAG

ANSPRACHE AN JUNGE MUSIKER

Wir haben mit Absicht dieses stille Haus gewählt, um miteinander uns den Werken der großen Meister zu widmen, dieses einfache Schloß, das fern dem Getriebe der großen Stadt liegt, zu dem Sie nur zu Fuß auf einem Gang von einer guten Viertelstunde gelangen können. Hier, ohne künstliches Licht, ohne Auto, ohne Telefon, nur von der Natur umgeben, hoffe ich, daß Sie schon auf dem Wege dahin die Unrast, den Alltag, das Allzumaterielle verlieren und vergessen mögen – und so, schon vertraut mit Baum, Wolke und Wind, den Werken empfänglich nahen. Handelt es sich hier ja nicht darum, Ihnen schnell ein paar Stücke beizubringen – – ich habe nichts anderes, nichts Geringeres im Sinn, als Sie vom Klavier fort und zu sich selbst zu führen.

In der heutigen Zeit vollkommener Technik und Mechanik hat ein nur im rein pianistisch-artistischen Sinne gut gespieltes Klavierstück keinen Zweck mehr. Nur innerlich erlebte Kunst, an der Ihre Persönlichkeit schöpferischen Anteil hat, interessiert, wirkt und baut auf. Sie müssen zu sich selbst gelangen.

Um Sie dazu zu bringen, müssen die, die nicht schon einmal gestorben sind, sterben; und zwar den Opfertod aller Eitelkeit, alles Angelernten, Aufgeklebten, Falschen.

Sie müssen dann, wie ein Suchender, leise hinuntersteigen in das Dunkel Ihres tiefsten Seins, dorthin, wo Sie in der Kindheit waren, und dem Rauschen Ihrer Wünsche und Sehnsüchte lauschen, wieder sein wie ein Kind, ein Baum, eine Blume, unverfälscht und echt, hingegeben dem Gefühl vollen Lebens. Und wenn Sie still genug sind, voller Ehrfurcht für den Gott in Ihnen und Ihr Ohr an das Urgestein pressen, um dem heimlichen Ton zu lauschen, der durch alle Welten zieht, wird Er das heilige Feuer der Phantasie aufleuchten lassen, einer Phantasie, die ihre Kräfte aus Ihrem eigenen Sein und Wesen zieht.

Und bist Du demütig und stark zugleich, so schaust Du das Land Deines eigensten Wesens, das Land der reinen Dinge, die Kraft, die Größe, die Schönheit selbst und auch das Leid und die Weichheit und die Verklärung. Und hast Du diese Urbilder in Dich aufgenommen, so laß den Strom Deiner Kräfte aufsteigen in Dein Leben, in Deine Taten, in Deine Kunst und forme nach *Deiner* Phantasie--und das Bild Deiner Schönheit, Deiner Größe, Deine Liebe und Deine Trauer, Deine Hoffnung und Deine Freude wird leuchtend herrlich und fruchtbar. Du wirst ein Schöpfer ...

Ein schöpferischer Mensch aber in seiner besten Stunde ist göttlich. Wenn es Dir jedoch nicht gegeben ist, Deine innere Vorstellungswelt in eigenen Schöpfungen zu verwirklichen, so findest Du die Werke der großen Meister. Sie sind wie Gefäße, bereit, Deinen Strom zu empfangen. Diese herrlichen Gebilde sind die andere Hälfte Deines Daseins. Umfange sie, belebe sie, ohne ihnen Gewalt anzutun, veredle Dich an ihnen, wachse an ihnen und leihe ihnen, diesen Götterbildern eines geahnten Reiches, die Kraft Deines warmen Lebens.

Doch diese geahnte, geistige Welt bedarf, um in Erscheinung zu treten, der diesseitigen Wirklichkeit. Zwar benutzen wir in unserer Kunst den denkbar entmaterialisiertesten Stoff, schon nicht mehr an unsere Erde gebunden – die Schwingung – doch auch sie will geformt, geschaffen sein. Der Weg vom Urbild über Psyche, Physis, Instrument zum Klang ist weit – und auf jeder der Leidensstationen geht etwas verloren – nur ein Bruchteil des Urbildes kommt zur Erscheinung.

Wenn ich Ihnen auf diesem Wege helfen kann, so tue ich es gerne, damit aus dem Werk und Ihrer Persönlichkeit zusammen ein Neues entstehe, aus dem in Kraft und Reinheit das Ewige leuchte, um dessentwillen zu leben allein sich verlohnt.

KUNST UND LEBEN

Wenn ein junger Werdender sich die Frage vorlegt: wie, woher kam den alten Meistern die Kraft zu ihrer Vollendung, wenn rückblickend ein Vollendeter nach den Ursachen seines Werdens forscht – immer wird die Antwort lauten: aus dem reichen voll gefühlten Leben, dem inneren wie dem äußeren, kommt Entwicklung, schöpft sich geistig-künstlerische Kraft. Kunst ist Spiegelung des Lebens auf einer höheren Ebene, in der das Zufällige, Nebensächliche entschwand zugunsten einer dem Alltagsauge verborgenen Gesetzmäßigkeit, einer inneren Schönheit, die doch Wahrheit ist. So ist Kunst und Leben nichts Getrenntes, sondern eine Einheit.

Alles Geschehen im All ist Wandlung, ewiges Werden und Vergehen. Und doch scheint Natur diesem ewigen Kreise entrinnen zu wollen und sucht den Tod zu überwinden durch Schaffung immer neuer Generationen, neuer Arten höherer Formung; doch auch der Mensch, »so hold vertraut mit all der Schönheit, die er schaut, entschwindet und vergehet«. Da, als trüge die Seele noch eine schwache Erinnerung an eine ferne, verlorene Heimat in sich, macht sein Geist sich auf und sucht nach etwas über den Tod hinaus, und in dieser Sehn»sucht« nach Ewigkeit schafft er religiöse, geistige, künstlerische Werte, strahlt sie in seine Um- und

Nachwelt aus und überdauert auf diese Weise seine kurze Erdenzeit.
Wie wir Menschen unseren Körper aufbauen, üben, um ihn zu einem geeigneten, gefügigen Instrumente unseres Willens zu machen, so bauen wir Musiker an unserer Technik, unserem Können, Wissen. Wir erlernen Finger-, Hand- und Armbewegungen, Notenlesen, bilden unser rhythmisches Gefühl, stählen unser Gedächtnis, wir hören Künstler, studieren Platten, vergleichen Ausgaben, lassen Musik durch den Funk zu uns fließen; doch dies alles ist nicht das Entscheidende, Letzte; das Letzte, das Geheimnis ist das Leben, der ewige Erzeuger.
Der Mensch ist so wunderbar gebaut, daß seine feinsten Empfangsgeräte für diese Geheimnisse sorgsam versteckt und meist außer Gebrauch sind. Nur in seltenen Fällen ist in uns der Empfänger jener unendlich abgestuften Skala auf diejenige Welle eingestellt, die ins Wesentliche der Dinge führt. Da heißt es fein stille sein, die Welt, die laute, von sich abtun. Dann kommt plötzlich ein Ton, ein Wort, ein Vogelruf, ein Blick, eine Handbewegung, und die Verbindung, die Offenbarung ist da. »Künstler« ist, wer ein Organ hat für die ungezählten immer neuen Varianten, die aus den urewigen Themata der Natur heraufsteigen; er

schildert diese Vorgänge, diese Prozesse in sublimierter Form in Schwingungen des Tones, des Lichtes, des Rhythmus; im Wechsel der Farbe, der Stimmung, in Linien, Proportionen und geistiger Logik. So ist Kunst ein entmaterialisierter Widerschein göttlichen Lebens. Solche allgemeine Aussagen über Kunst tragen die Gefahr in sich, von jedem anders aufgefaßt zu werden, und so muß ich schon, um hilfreich zu sein, deutlicher werden, muß die Scheu überwinden, Persönliches auszusagen, darf Beispiele geben, an die ich mich noch erinnere, wie das Leben mir den Zugang zu den Kunstwerken öffnete.

Wenn ich die »Winterreise« darstellen wollte, so genügte der Text, ja die Musik allein nicht; erst als meine Erinnerung ein Gefühlserlebnis aus der Vergangenheit heraufholte, jenes Bild einer Allee von Weidenstümpfen in kalter Winternacht, »draußen vor dem Tore«, von lärmenden Raben im tiefen Schnee, gelang es, das Gefühl trauriger Einsamkeit zu erzeugen, das all das an Empfindung in sich faßt, was in diesen köstlichen Gebilden steckt. Schon in der Kindheit erlebte ich auch jenes in die Ferne langende Sehnsuchtsgefühl nach dem Süden, wenn ausgewanderte italienische Arbeiter, neapolitanische Lieder singend, am Feierabend vorüberzogen; aus dem Erzittern des Fundamentes des Münsters, wenn die sechzehn Füße der Orgelpfeifen bebten und wellten, erstand die Vorstellung, das Gefühl des »Rex tremaendae majestatis« unserer großen Totenmessen.

Als ich in einer Erzählung von Mozart hörte, daß er als kleines Kind, wenn Könige und Fürstinnen ihm huldvoll zuhörten und ihn beschenkten, leise fragte: »Hast du mich auch lieb, hast du mich auch sehr, sehr lieb?« so war mir damit mehr gewonnen als durch die Bücher über seinen Stil. Auch wenn Richard Strauß mich fragte: »Warum machen's denn so viel, da müssen's doch nur Ihre Visitkarten abgeben« als ich den Anfang des G-dur-Konzertes von Beethoven nicht einfach genug spielte, oder wenn Wilhelm Furtwängler das, um ein Geringes langsamere Tempo eines zweiten Themas so vorbereitete, daß man das neue Tempo gar nicht gewahr wurde, empfing ich Entscheidendes.

Eines Abends ging ich ins Varieté; verachtet mir die Artisten nicht! Was sie an Beherrschung, Ausdauer, Üben, Konzentration, Einsatz, Mut leisten, kann nicht verglichen werden mit unserem stumpfen Üben von Etüden. Da kann man wirklich sagen: »Ein falscher Griff zum Abgrund führt«, aber bei uns: der falsche Ton wird überhört. Also an jenem Abend trat der Jongleur Rastelli auf.

In blauer Seide, knabenhaft schlank und biegsam. Und er behandelte seine Kugeln wie eine Koloratursängerin die hohen Töne, ließ sie auf und nieder gleiten, sich begegnen, kreuzen und spielte ein achtstimmiges Jubilate mit einer Grazie und Seligkeit, als habe er alle irdische Schwerkraft für immer überwunden: diese Überwindung der Schwere war der Gewinn jener Stunde. Rastelli, ein Frühvollendeter, starb jung wie Mozart, er war zu leicht für diese Welt. – Wenn ein zierliches Vöglein aus dem Nest gefallen war und ich sein zitternd schlagendes Herzchen in der Hand fühlte, so rasch, so leicht – so klangen nachher Cherubinis Arie und die Rondos Mozartscher Konzerte anders als vorher. – Aber auch der Mensch schenkte mir Wesentliches; ich hatte das Glück, noch eine bezaubernde Persönlichkeit aus Wien kennen zu lernen. Und wenn sie nun von Mozart sprach, vom Mutanderl, vom »nit gar so schwer nehmen«, wenn sie beim Abschied oder bei einer schönen Stelle feuchte Augen bekam und dabei lächelte, jenes Lächeln unter Tränen, das sich solcher Regung zugleich geniert, so wußte ich vom Wesen des Vortrages mehr als durch langes stilistisches Bemühen. – Aber auch in neuester Zeit schenkte mir ein Buch ein Begreifen. Es wird da erzählt von Strindberg, daß er sich mit den

Eisblumen am Fenster beschäftigte, forschte und schließlich die Erklärung der seltsamen, an Algen und Meerespflanzen erinnernden Formen darin fand, daß das Wasser in seinem Jahrmillionen dauernden Durchwandern der Meeresgebilde die Formungskräfte dieser Pflanzen so in sich aufgenommen habe, daß beim Kristallisieren sie sich offenbaren. – Von anderen hörte ich, sie hätten Tulipanen- und Kaiserkronenblüten zu Asche verbrannt und dann die Asche in Flüssigkeit gelöst, auf Glasplatten gestrichen und durch Verdunstung kristallisieren lassen – siehe, es erschienen die Formen dieser Blumen. Das gab ein schönes Bild für Sinn und Tun der Reproduzierenden: wir müssen das Wesen eines Komponisten derart in uns aufnehmen, daß die Formungskräfte so in uns übergehen, daß unbewußt das Wesentliche seiner Art in unserer Wiedergabe erscheint. Und damit komme ich zum Punkte der Fortdauer nach dem Tode. In uns, um uns sind noch heute alle jene Kräfte lebendig, die die Großen des Geistes und der Seele zu ihren Werken befähigten; offen sich zu halten für diese Strahlungen, zuzuhören, demütig zuzuschauen, ist unsere Aufgabe. Goethe hat diese innere Bereitschaft in vollendeter Weise besessen und geschildert. Während er im »Faust« betont, daß mit Hebeln und mit Schrauben der Natur ihr

Geheimnis nicht zu entreißen ist, beschreibt er in der »Marienbader Elegie« den höchsten Zustand menschlicher Seele:

> In unsers Busens Reine wogt ein Streben,
> Sich einem Höhern, Reinern, Unbekannten
> Aus Dankbarkeit freiwillig hinzugeben,
> Enträtselnd sich den ewig Ungenannten;
> Wir heißens: fromm sein! –

Solcher Höhe müssen wir teilhaftig werden, wenn wir uns dem Ewigen öffnen sollen. Hier sind wir an der Schwelle, hier beginnt das Reich der Schaffenden, ohne die wir armen Reproduzierenden nichts wären. Wir leben von der Wiederholung. Das Wort »wieder« ist mir zuwider, und das Gesetz der Wiederholung scheint der Fluch Gottes, scheint die Schranke zu sein, die uns von den Göttern trennt. Jedes kleine Schrittchen in Neuland, jedes »zum ersten Mal«, jedes »Einmalige«, jede Stufe zu neuer, höherer Formung ist allein, was in der Geistesgeschichte der Menschheit zählt. Und davon, wenn auch nur eine Spur – nur so viel, wie Radium im Zeiger unserer Leuchtuhr ist –, sollte jede Darstellung eines Werkes enthalten, denn in dem Fortleben der Geister, ihrer Formungskräfte in uns, verbunden mit einem Hauch eigener Schöpfungskraft, haben wir das ewige Leben.

ÜBER MUSIKALISCHE INTERPRETATION

Die Darstellung eines Tonwerkes auf klangsinnlichem Wege setzt sich aus drei Elementen zusammen: dem Notentext, dem Instrument und dem Interpreten.

Betrachten wir zuerst den *Text*, das uns vom Komponisten überlieferte Notenbild, und verfolgen wir dieses bis an seinen Ursprung: die Entstehung der Komposition in der Phantasie des Komponisten: Am Anfang alles schöpferischen Geschehens steht wohl jenes Urgefühl, das, an kein bestimmtes Sinnesorgan gebunden, sich aus primitivsten Lebensvorgängen ableitet. *Spannung* und *Entspannung*, Druck und Befreiung, Ein- und Ausatmen bergen in sich schon zwei Hauptelemente der Tonkunst, Dissonanz und Konsonanz, und in ihrem Wechsel den »Rhythmus«.

Goethe sagt:

> Im Atemholen sind zweierlei Gnaden,
> Die Luft einziehen, sich ihrer entladen;
> Jenes bedrängt, dieses erfrischt;
> So wunderbar ist das Leben gemischt.
> Du danke Gott, wenn er dich preßt,
> Und dank ihm, wenn er dich wieder entläßt.

Alle Elemente der Tonkunst, die Melodie, der Rhythmus, die Harmonie, die Tonalität, die Kadenz, die Form, leben von diesem ewigen Wechsel von Ein- und Ausatmen, von Tag und Nacht, Laut

und Leise, Hoch und Tief, Anschwellen und Abnehmen, Sich-Verwickeln und Sich-Lösen.
Ist nun das erste Maß dieses Wechsels, die erste Zelle der Komposition, festgestellt, so tritt eines der »Urworte« Goethes in Funktion:

> Wie an dem Tag, der dich der Welt verliehen,
> Die Sonne stand zum Gruße der Planeten,
> Bist alsobald und fort und fort gediehen
> Nach dem Gesetz, wonach du angetreten.
> So mußt du sein, dir kannst du nicht entfliehen,
> So sagten schon Sibyllen, so Propheten;
> Und keine Zeit und keine Macht zerstückelt
> Geprägte Form, die lebend sich entwickelt.

In der Befolgung dieses Gesetzes haben Sie eines der Geheimnisse einer vollendeten Komposition.
Ist ein Werk *gewachsen,* wie ein Baum wächst, so daß es zwar viele Bäume gibt, die Äste, Zweige, Blätter, Blüten und Früchte haben, aber jede Art ihrem eigenen Gesetze folgt, z. B. alle Kirschbäume nur den Grundrhythmus der Kirsche haben, ja, jeder individuelle Baum sogar ein eigenes Variantenbild mit eigener, durchbefolgter Charakterisierung bietet –, wenn also ein Werk in dieser Weise gewachsen ist, dann ist es gut. Diese tiefe Logik nachzufühlen, ihr in der Hauptsache zu folgen, ist die erste Aufgabe des Interpreten.
Das *Notenbild* gibt uns die Absicht des Kompo-

nisten in einer für ein bestimmtes oder mehrere bestimmte *Instrumente* festgelegten Form. Bei dieser Niederschrift erfolgt schon eine Art von Transkription. Gewiß gibt es musikalische Ideen, die sofort für ein bestimmtes Instrument, zum Beispiel eine Stimme, gedacht sind, ja, die Vorstellung des Klanges eines Instrumentes kann direkt die Ursache eines musikalischen Einfalls sein – aber im ganzen richtet der Komponist doch die reine Musik seiner Einbildungskraft für ein mehr oder weniger zureichendes, geeignetes Instrument ein. Er muß dabei oft seiner Phantasie Gewalt antun, die Möglichkeiten, die Grenzen eines Instrumentes beschränken ihn, oft ist er zur Einstimmigkeit gezwungen, zum Zerlegen von Akkorden, oft muß er eine unendliche Melodie abbrechen, weil der Bogen des Geigers, der Atem der Stimme, der *Umfang* des Instruments ihn dazu nötigt.

Das, was so niedergeschrieben uns in die Hand gegeben wird, ist also das *Material*, aus dem wir das Urbild der Komposition wieder lebendig machen sollen. Dieses Material ist durch die Jahrhunderte hindurch sehr verschieden. Während eine frühere Zeit dem Interpreten viele Freiheit ließ – Verzierungen, Kadenzen und den gesamten Vortrag seinem Geschmack freistellte –, sind die Modernen in ihren Vorschriften sehr genau. In der Mitte dazwischen stehen Beethoven und Brahms; sie haben das *Wesentliche* des Vortrags angegeben – Wegweisern an den Hauptkreuzungen der Straßen gleich –, die uns die Hauptrichtungen angeben sollen. Reger tat des Guten zuviel, seine Vorschriften überzeichnen, ja, ein Komponist unserer Zeit verlangte sogar ein Gesetz zum Schutze gegen willkürliche Interpretation. Das *Zeitmaß* wird durch *Metronomzahlen* bestimmt, jede kleinste Nuance des Vortrages wird angegeben. Das soll nun nicht heißen, daß alte Musik ohne Vortrag heruntergespielt werden soll; Hinweise, wie »kokett«, »auffahrend«, »sehnsüchtig«, finden sich nicht erst bei *R. Strauß,* sondern schon bei *Telemann* – ein Beweis dafür, daß die rein vom Stilistischen, Historischen ausgehende Interpretation nicht richtig ist, die das Gefühl aus der Darstellung vorbachscher Musik verbannt. Musik war immer eine Sprache des Herzens, und die Subjektivität ist nur insofern modern, als man heute im *eigenen* Namen spricht, während man vordem mit seinem Gefühl, seiner ganzen Zeit inkognito – anonym – seine Zunge lieh. Wenn nun wenigstens dieses Urbild des Komponisten uns rein übermittelt würde – aber nun kamen die Verleger und wetteiferten an *Ausgaben.* Ein Beethoven, Bach wurde übersät mit Bogen, Punkten, fortes und pianos, und man könnte

sie noch gelten lassen, wenn erkenntlich wäre, was von Beethoven, was von Herrn X. stammt. Die neueste Zeit hat darin wieder viel gut gemacht, und die Bemühungen von Breitkopf, Peters, Steingräber und andern, den Originaltext wieder herzustellen, sind nicht genug zu begrüßen. So stellt sich nun das überlieferte Notenbild als ein zwar ausgearbeiteter, deutlicher Grundriß mit Angaben über Materialverwendung, geplante Innenausstattung dar, aber eben doch nur als Grundriß – gebaut muß von *uns* werden –; wir wollen es als unsere größte Pflicht betrachten, genau nach dem Grundriß zu bauen, uns keine Änderungen weder in den Maßen noch Formen zu gestatten, nichts hinzuzutun, aber so *schön,* mit so gutem Material wie irgend möglich zu bauen.
Es liegt eine weite Spanne zwischen den Forderungen, die an den Interpreten gestellt werden: Die einen verlangen kategorisch: »Spiele nur was dasteht«, die zweiten definieren: »Eine Wiedergabe eines Musikstückes ist ein Stück Natur, gesehen durch das Temperament eines Künstlers«, während die dritten der Meinung sind: »Jede Reproduktion müsse ein schöpferischer Akt sein«. Und es gibt auch tatsächlich große Extreme in der Art der Darstellung. Der eine Künstler benützt das Notenbild, um eigenmächtig sich selbst und seine

Leidenschaften darzustellen, der andere glaubt, in sklavenmäßiger Befolgung aller Vorschriften zum Ziele zu kommen und erreicht damit nur eine tote Maske, einen Abguß des einst Lebendigen. Es läßt sich aber schon ein Vergleich mit den allgemeinen Gesetzen des Rechtes wagen: Ist der Komponist der Gesetzgeber, so ist der Interpret Advokat und Richter. Der Gesetzgeber schuf das Gesetz, um die Interessen der Einzelnen zu einer Harmonie zu führen, es ist aber an dem Richter zwar nicht das Recht zu beugen, aber es dem Leben anzupassen und darauf zu achten, daß nicht der Buchstabe befolgt werde, sondern der Sinn des Gesetzes – und der liegt eben im guten Sinne der Menschlichkeit, des Edlen, des Verstehens, des Schützens, mit dem Endziel der Schaffung einer göttlichen Ordnung und Harmonie.

Nun ist mir aufgefallen, daß die Meinungen über Interpretation auch *zeitlichen* Wandlungen unterworfen sind. Lassen Sie uns das kurz beleuchten: Wir haben verschiedene Zeitstile, geistige Richtungen, denen sich der Interpret anschließt. Schöpfer der Stile sind natürlich die Komponisten, und die Reproduktion folgt ihnen in einigen Dezennien Abstand nach. So habe ich in den kurzen sechzig Jahren meines Lebens noch drei Hauptströmungen kennen gelernt.

Da mein Vater, 1826 geboren, noch scherzweise ein Zeitgenosse Beethovens genannt werden könnte, und ich viel mit Bach beschäftigt wurde, lernte ich noch jene gute, alte, traditionelle Musizierart kennen, der der Notentext strenges Gesetz, das Tempo unverrückbar und die Form heilig war. Das Charakteristische ordnete sich willig dem Gesetz der Wahrheit und der Schönheit unter. Daß diese Art nachher zur Pedanterie führte, ist zwar bedauerlich, weil diese Professorenweise besonders Bach als trocken und langweilig und alle Klassik als mit dem Metermaß gemessen erscheinen ließ. Aber es liegt in diesem Musizieren doch trotz des bürgerlich-philiströsen ein fester Grund zu einer guten Musikkultur und es ist immer noch angenehmer, ein reines Musikschriftdeutsch zu hören, als ein von Genieblitzen durchzucktes Lallen, und Weh und Ach, wo Dilettanten mit Entsetzen Scherz treiben.

Diesem folgte nun die *Romantik*, das schöne, späte, interessante aber schwächliche Kind der Französischen Revolution, und es wird Sie erstaunen, wie vielen meiner Jugendgenossen Schumann noch als schwerverständlich erschien. Von Brahms zu schweigen. Dieser Komponist, jetzt friedlich vereint mit Bruckner, kämpft ja in manchen Städten noch heute um Anerkennung, selbst in unserm lieben Vaterlande. Daß die Menschen nicht erkennen wollen, daß es beides gibt, Geist und Gemüt, Frohsinn und Phantasie, und daß auch die Musik zwar eine internationale, aber doch in sich differenzierte Sprache spricht, deren Schönheiten Gott sei Dank verschieden sind, wie die Völker dieses armen und doch so schöpferischen Europas. Nun, was die Romantiker, was Schumann und Liszt säten, ernteten wir: viel Phantasievolles, Freies, Traumhaftes, aber auch viel Übermaß an Gefühl, Temposchwankungen, Arpeggien und Pedal.

So war es natürlich, daß nach einigen Jahrzehnten die Reiniger kamen: Busoni, Strawinsky, Bartok, Hindemith, Honegger, Toscanini, und als Interpret gab uns Richard Strauß Beispiele Mozartscher Einfachheit. Daß im Kampfe dabei Worte fielen wie »es war herrlich, wie eine Nähmaschine« oder »des müsse Sie einfach so runterspiele« ist begreiflich, wenn man an all die Plüschsofas, Vorhänge und Verdunkelungen der vorigen Zeit denkt. Klarheit, Rhythmus wurde die Losung, und es ist nicht zu leugnen, daß die Mechanik Anteil hat an dieser Richtung. Umsonst sind nicht viele große Musiker unserer Zeit leidenschaftliche Eisenbahnspieler, Uhrenfreunde, Radiobastler. Heute will man eine den Absichten des Komponisten genau entsprechende, von allen Zutaten freie Wiedergabe, die die Einheit des Tempos bringt, ohne den Ausdruck vermissen zu lassen und die die Form klar erkennen läßt. Aber man fängt nun an, mit dem Vergrößerungsglas im Manuskript nachzusehen, wo der Buchstabe C eines Beethovenschen crescendo beginnt, um ja texttreu zu sein; das ist löblich, allein man muß auch die Gefühlskraft besitzen, das crescendo beethovensch zu gestalten. Es gibt Puristen, denen die kleinen Eulenburgpartituren unentbehrlich sind, weil sie nicht mehr mit den *Ohren,* sondern mit den *Augen* hören und die nicht wissen, daß es eine so bakterienfreie Luft gibt, daß das Leben aufhört, einen vom Wissen so sterilen Boden, daß nichts mehr wächst. Ohne Humus geht es auch nicht. Die Texttreue allein tut es nicht, es läßt sich nicht alles aufzeichnen, sonst würden die Empfindungen zerredet; deshalb braucht man nicht zu sagen: Gefühl ist alles, Form ist Schall und Rauch – aber es bleibt und überdauert eine Kraft: das menschliche Herz.

Der Interpret ist gebunden an seine Persönlichkeit. Diese ist das Produkt einer *psycho-physischen Einheit* – eben des ganzen Menschen –; sie ist bedingt von der vorhandenen Erbanlage, formt sich durch *Erziehung:* das stärkste Erziehungsmittel sind die Vorbilder. Die Entwicklung wird weiter beeinflußt durch den *Zeitgeist* (die Umgebung) und durch das fortschreitende *Alter*.

Wenn einer athletisch gebaut ist, wird sich dieser Charakterzug auch auf seine inneren Organe erstrecken, er wird ein starkes, mächtiges Herz haben. Ist er ein Astheniker, hoch gewachsen, schmächtig, dünn, wird er ein langgezogenes, sogenanntes Tropfenherz besitzen – es liegt für mich nicht so fern, zu sagen: sollte nicht auch seine *seelische* Struktur von denselben Charakterzügen beherrscht sein, ist nicht letzten Endes alles aus einer Schöpferhand hervorgegangen? – Konkret drückte das Cortot neulich so aus: Gut Klavierspielen können viele lernen, ein großer Pianist zu sein, ist eine Konstitutionsfrage.

Unter den Pianisten aller Zeiten findet man nun die verschiedensten Typen. Da ist der Pykniker, breit, kräftig, gedrungen, mit kurzen Fingern, dicken Fingerpolstern, dort der Astheniker mit seiner sehnigen, langen Klavierhand, mit den spitzen Fingern, und unwillkürlich eignen sich im ganzen die Künstler immer am besten zur Wiedergabe der Kompositionen von Menschen ihres eigenen Typus. Man denke an Rubinstein: gewaltige Konstitution, Beethovenkopf, prächtige kurzfingerige Hand mit großen Fingerpolstern, richtige Saugnäpfe. Effekt: große Gestaltung, große For-

men, titanisch, herrlicher, sagenhaft großer Klavierton. Reger – enorm gebaut, molluskenhaft, schwer, dabei sensibel – Organist, großer Bachspieler, gebundene Formen – Legato – und Pianissimo-Stil. d'Albert: kurzer, gedrungener Körper, kleine elastische Hand, explosiv, federnd, auch er zur Wiedergabe von Komponisten vom Pykniker-Typ geeignet. – Dagegen Liszt – hochgewachsen, lange knochige Hände mit unerhörten Schwimmhäuten, der Repräsentant der Virtuosen par excellence, Erfinder neuen flüssigen Passagenwerks, Triller, Oktaven, er findet zu Mozart, Chopin die stärksten Beziehungen. – Busoni, ähnlicher Typus, der immer auf die schlanke Form schaute, der uns von der romantischen Schwere der nachbrahmischen Zeit zu befreien suchte und immer Helligkeit, Stakkato und Durchsichtigkeit forderte – ein besonderer Interpret von Mozart und Liszt.
Dieses psychisch-physisch bedingte Grundmaterial wird nun in der Jugenderziehung von Vorbildern geformt, und wir müssen uns immer bewußt sein, wie sehr wir von den Leistungen der vorigen Generation leben. Eine Erscheinung wie d'Albert ist nicht aus sich allein zu erklären. Da war Beethoven, der Czerny beeinflußte; Czerny hat in seiner Schule des Pianofortespiels berichtet, wie Beethoven spielte, er hat in seiner Ausgabe des »Wohltemperierten

Klaviers« von Bach niedergelegt, was ihm von Beethovens Vortrag der Bachschen Fugen in Erinnerung geblieben war – können wir da nicht fast mit Gewißheit annehmen, daß dieser Czerny seinem Lieblingsschüler Liszt alles, was er von Beethoven wußte, überlieferte? Und dieser Liszt war Lehrer von fast allen großen Pianisten der vorigen Generation. Wenn wir nun d'Albert hörten, da ernteten wir die geistigen Früchte vieler Großen – und so geht eine lange Kette zurück, bis in die Anfänge der Kunst, und Tradition ist in diesem Sinne kein leeres Wort.

Der Interpret ist auch vom *Zeitgeist* abhängig. Die tändelnde Spielfreudigkeit des Rokokos ist so wenig ohne Einfluß auf die Musiker jener Zeit geblieben, wie die kirchliche Strenge des Mittelalters auf die Kirchenkomponisten. Und so werden sich die Ereignisse unserer Zeit in den Schöpfungen unserer heutigen Komponisten widerspiegeln. Damit sind wir beim letzten Wandel angelangt, den der Interpret durchmacht, dem der *Altersperioden*. Wenn ich Ihnen vorspielen würde, wie ich früher tobte – Sie würden über mich lächeln, nein, laut lachen. Busoni, der zu den größten Virtuosen aller Zeiten gehörte, spielte in seiner Jugend so glanzvoll, laut, hinreißend; im Alter habe ich von ihm kaum ein Forte gehört; es genügte ihm so, denn ihm kam es ja da auf die Relationen der Tonstärke, nicht mehr auf die Stärke an sich an. Gleich wie ein Wanderer zuerst im Tal sich an jeder kleinen Biegung eines Bächleins erfreut – dann beim Höhersteigen immer größere Gebiete mit dem Auge erfaßt, um am Ende der Wanderung auf einsamer Höhe nur noch von der Unendlichkeit des Horizonts, von den ewigen großen Zusammenhängen innerlichst ergriffen zu werden, so gewinnt der nachschaffende Künstler im Laufe eines mühevollen Lebens eine dem Komponisten angenäherte Weite des Blickes und die Einsicht in die großen entscheidenden inneren Zusammenhänge.

Wie soll man studieren? Zuerst macht man Bekanntschaft mit dem Werk, indem man es durchspielt, dann wird es technisch studiert, die Frage der Fingersätze und der bequemsten Bewegungsart erledigt (dabei möchte ich die Methode Giesekings, die dieser von seinem Lehrer Leimer berichtet, erwähnen: Leimer läßt den Schüler nicht an das Instrument, bevor dieser das Werk nicht geistig vollständig im Kopfe hat). Dann wird man auf instrumentelle Schönheit, auf Klang und Glätte hinarbeiten. – Inzwischen wird man den Aufbau des Stückes kennen und sich mit dem Vortrag beschäftigen. Das Wichtigste dabei ist das Erfassen

des richtigen Tempos, in dem sowohl die schnellen als die langsamen Partien darin zu ausdrucksmäßig richtiger Geltung kommen. Es kommt dabei darauf an, sich in den Zustand zu versetzen, der den Komponisten beseelt hat, als er das Werk konzipierte. Es hilft dabei, etwas Näheres über die Erlebnisse des Schöpfers in jener Zeit zu wissen, was für Menschen, Ereignisse und Lektüre ihn beeindruckten. Immer aber wird das oberste Gesetz des Vortrages die Einfachheit sein. Es muß schließlich so sein, daß die Vortragszeichen der Komponisten sich mit dem eigenen Empfinden decken: crescendi, fortes, die nicht erlebt sind, wirken aufgeklebt.
Nun wird man das Werk im ganzen durchspielen, man wird versuchen, sich selbst zuzuhören (Casals weggewendetes Antlitz). Aber alles Studieren schafft es, alles Talent, aller Fleiß nicht allein, wenn nicht das ganze Leben darnach eingestellt ist, ein Mittler großer Gedanken und Empfindungen zu werden. Jede Tat, ja, jeder Gedanke hinterläßt seine Spur an der Persönlichkeit. Man lebe so, daß sich die Reinheit bis auf den Bissen erstreckt, den man zum Munde führt. So vorbereitet, wird sich jenes Etwas einstellen, das unlehrbar ist, jene Gunst der stillen Stunde, da der Geist des Komponisten zu uns spricht, jener Moment des Un-

bewußten, des Sichselbst-Entrücktseins, nennen Sie es Intuition, Gnade – da lösen sich alle Bindungen, alle Hemmungen schwinden. Sie fühlen sich schwebend. Man fühlt nicht mehr: *ich* spiele, sondern *es* spielt, und siehe, alles ist richtig; wie von göttlicher Hand gelenkt entfließen die Melodien Ihren Fingern, es durchströmt Sie, und Sie lassen sich von diesem Strömen tragen, und Sie erleben in Demut das höchste Glück des nachschaffenden Künstlers: nur noch Medium, nur Mittler zu sein zwischen dem Göttlichen, dem Ewigen und den Menschen.

WOLFGANG AMADEUS MOZART

Wenn ich jemand etwas besonders Liebes antun will, setze ich mich ans Klavier und spiele ihm eine Komposition von Mozart. Und nun soll ich über ihn schreiben! Das kommt mir vor, als ob ich einer Person, die ich gern habe, einen Vortrag über die Art und Beschaffenheit meiner Zuneigung zu ihr halten sollte, anstatt sie still bei der Hand zu nehmen und in die herrliche Gotteswelt mit ihr zu gehen, wo die Natur mit tausend geheimnisvollen Stimmen zu uns spricht und wir schweigend mit dem Herzen erleben, was kein Wort auszudrücken vermag. Ja, »mit dem Herzen erleben«, das ist das Wort, das die verborgene Tür zum Sinne Mozartscher Klangwelt öffnet. Doch ist Erleben an Zeit gebunden, und so ist das wahre Verstehen der Abschluß einer Entwicklung, die bei jedem einzelnen sich ähnlich wiederholt.

Die natürliche musikalische Entwicklung bringt uns Mozart anfangs recht nahe durch die Volkstümlichkeit seiner Melodien, die leichte Faßbarkeit seiner harmonischen und agogischen Struktur. Dann folgt meist eine Zeit der Neigung zu großem Kraftaufwand, der Liebe zum Pathos: kein Ausdruck ist äußerlich zu stark, nichts prächtig, virtuos und vollgriffig genug. Wir sind Meister Mozart dann ebenso fern wie in der folgenden Zeit des Suchens nach absolut Neuem, nach Raffiniertem,

Überhitztem, Revolutionärem oder formell Problematischem, bis uns eines Tages das Licht aufgeht: hier ist alles: Inhalt, Form, Ausdruck, Phantasie, instrumentelle Wirkung mit den einfachsten Mitteln erreicht. An diesem Tage bist du gerettet von allem Suchen, allem Wollen; hier ist jemand, der wirklich überwunden hat, im Sinne Laotses, der sagt:

Wollen, ohne Wollen wollen,
Tun, ohne tun wollen,
Fühlen, ohne fühlen wollen,
Großes als Kleines sehen,
Vieles als Weniges sehen,
Schlechtes als Gutes sehen.
Der Vollendete sorgt nicht um Schon-Großes,
Vollführt dessenthalb Großes.

Solange du das im Leben nicht gelernt hast, wirst du schwer zum götterhaften Spielen mit der Realität gelangen, wirst du Mozart nicht das geben, was er braucht: die Harmonie einer Persönlichkeit. Doch *wie* schwer gelangt man dazu! Ich will versuchen, die ersten Stufen zur Erkenntnis Mozartschen Wesens wiederzugeben, wie sie mir das Leben schenkte. Wer hat den Mozart-Sinn zuerst unserer Generation verkündet? *Richard Strauß* und *Ferruccio Busoni.*

Von Busoni wird erzählt, daß er in den letzten

Lebensjahren einmal die »Entführung« hörte, die ihm lange Zeit nicht begegnet war, und siehe, ihm, dem Kühlen, geistig so unendlich Überlegenen, rann eine Träne kindlicher Glückseligkeit über das zerarbeitete Gesicht.

Und ein anderes Mal hörte ich ihn sagen, als eine Stelle einer Mozartschen Komposition sentimental verschleppt wurde: »Schlank, meine Herren!« Ja, in der Schlankheit, in dem unbeschwerten Schweben, in dem Strebigen der Linien liegt das Geheimnis guter Ausführung.

Es ist oft auf die Verwandtschaft der äußeren Erscheinung eines Künstlers mit seinen Werken hingewiesen worden – und mit Recht. Mozarts leichte, aristokratische Hand streute gern Passagen, Triller, Fiorituren hin, »leichte Blätter auf ein luftig Band«. Also streue auch du, und: con grazia.

Mozart wird immer als jung geschildert. Wenn man seine Jugendkompositionen ansieht, seine Kunstreisen, Erfolge, Enttäuschungen und Erfahrungen miterlebt, hat man das Gefühl, er war mit zwanzig Jahren weiter als ein anderer Mensch mit fünfzig; ein »Wunder« der Vereinigung von Kindlichkeit und letzter Weisheit. Einem Vogel vergleichbar, besaß er schnelle Reaktionsfähigkeit, hatte mehr Sinneseindrücke, mehr Gefühlswandlungen in *einer* Zeit als ein normaler Mensch.

Seine Musik ist lauter Liebe – und doch weiß er um alle Geheimnisse uralter Rassen, er hat im Leben das Leben überwunden und gleich Shakespeare erhebt er das Tragische in jenes Licht, in dem die Götter es sehen, unbeschwert. Seine Forderung, es soll die Musik auch in der Darstellung des Schaurigen die Grenzen der Schönheit nie überschreiten, entspringt derselben Quelle. Die Kunst des Maßes, des nur Andeutens – dieses »Spielen« mit den großen menschlichen Leidenschaften und doch das stete Fühlenlassen jenes göttlichen Lichts, das in jedem von uns wohnt, heller oder verhüllter, hebt ihn zu jenen Sphären letzter geistiger Reife, die einem Irdischen überhaupt erreichbar sind. Deshalb die Schwierigkeit seiner Darstellung bei aller Einfachheit des Gewandes. Er hatte das Irdische wirklich überwunden und nicht allein durch Gnade, Wunder, wie die Leute meinen, sondern durch heilige Arbeit an sich und seiner Kunst. Was geschieht, ist nicht so wichtig, wenn nur das Licht des Herzens leuchtet in Leid und Freude. –

Als ich vor einiger Zeit im Lyceo musicale in Bologna (wo Mozart bekanntlich als Vierzehnjähriger nach Absolvierung einer Prüfungsarbeit unter die Meister der Akademie aufgenommen wurde) die Luft altitalienischer Musikerziehung roch, beim Durchlesen altitalienischer Vokalmusik, da hatte ich plötzlich wieder ein Stück von ihm. Und wenn in Beethoven der Dämon aufsteigt und eine Szene in wenigen Tönen charakterisiert ist, so sage man nicht: echt Beethovensch – sondern echt Mozartisch, denn diese großen dramatischen Stellen finden sich zuerst und am packendsten bei ihm. (So zum Beispiel schrieb sich Beethoven die Stelle aus »Don Giovanni«, nachdem im Zweikampfe der Komtur gefallen ist, eigenhändig ab, transponierte sie nach cis-moll und – der Anfangskeim der sogenannten Mondscheinsonate war geschaffen.) Man gehe vorurteilslos an Mozarts Werke, imitiere bei den Klavierkompositionen weder Cembalo noch Orchester, sondern erlebe ihn mit Phantasie und Herz. Man spiele die weniger bekannten Stücke: die Fantasie in c-moll, die mit 32tel Triolen beginnt, das Adagio in h-moll, die Gigue, die herrliche Fantasie und Fuge in C-dur, die als unecht umstrittene Romanze in As, die selten gehörten Klavierkonzerte Köchel-Verzeichnis 414 (A-dur), 271 (Es-dur), 453 (G-dur) und 503 (C-dur). Man lasse jeden Ton klingen und sei frei im *Rahmen des Gesetzes,* das ungeschrieben in jedem wahren Musiker lebt.

Mozart ist nicht Süßigkeit, ist nicht Artistik, Mozart ist Prüfstein des Herzens; durch ihn können wir uns schützen vor aller Krankheit des Geschmacks, des Geistes, des Fühlens – hier spricht ein einfaches, nobles, gesundes und unendlich geläutertes Menschenherz in der göttlichen Sprache der Musik.

FRÉDÉRIC CHOPIN

Er liebte die große Gesellschaft nicht, nicht die Öffentlichkeit, die laute. Seine Nerven reagierten so schnell und stark auf jeden Reiz, daß er viel litt und wehmütig mußte er konstatieren, wie der kräftige, strahlende Liszt seine Polonaisen zu zündender Wirkung brachte, während das Publikum ihm nur zeitweilig folgte. Das Sich-Preisgeben vor zahlenden Menschen war seiner aristokratischen Natur eine Qual, und eine tiefe und schöne Jugendliebe konnte er zeitlebens nicht vergessen. Wenn er im Hause von Freunden eingeladen wurde – ein weiches Ei und etwas Spinat war, was er sich wünschte – so mußte ihm das im Nebenzimmer serviert werden. Da stand auch ein schöner Pleyelflügel mit zwei Kerzenleuchtern. Während die anderen tafelten, strich seine lange, hagere, aber schöne Hand über die Tasten und plötzlich löste sich eine Mazurka aus den präludierenden Klängen – unendlich zart, unendlich vornehm – den ganzen Hauch polnischer Schwermut und französischer Grazie in sich vereinigend. Und nun verschwand die Umgebung für ihn und er schaute sein Vaterland in großem Glanze und Triumph, in all der Noblesse und Tapferkeit seiner leuchtenden Einbildungskraft. Längst hatten die anderen zu tafeln aufgehört, die Gespräche waren verstummt, alles lauschte, hörst Du die Terzenetüde – das feine

Klingeln der Troika über den tiefen Schnee, das Schnaufen der Pferde – und wie malt die Linke das herzzerbrechende Gefühl der Menschen, die in die Gefangenschaft gebracht wurden.

Und wie toben die Stürme über die weiten Ebenen in der Revolutions-a-moll-Etüde – wie zerlegt er in feine weitmaschige, schillernde Netze die Harmonien über die ganze Klaviatur – wie schildert er das Leben und Sterben, sein eigenes, in den Fieberträumen der b-moll-Sonate. Könnten ihn doch die Heutigen hören, wie er musiziert – wie nervig, männlich er ist – sie würden aufhören, ihn als eleganten Salonkomponisten zu zeichnen, sich um schöne Damen kümmernd.

Gewiß war er leidend, gewiß war er zarten und gebrochenen Farben ein besonderer Meister, aber immer war er ein großer Musiker und all die Mätzchen, schmachtenden ritenutis und falschen Sentimentalitäten, die man oft hört, hätte er gehaßt. Er spielte rubato, aber er ersetzte das »Geraubte« noch im selben Takt und blieb im Takte. Hören Sie Cortot, der ihm diese Männlichkeit, auch in der Pedalisierung, so herrlich gibt. Ist das Rhythmische als Fundament streng in Ordnung, können darüber alle jene unendlich rasch wechselnden, blitzartig erscheinenden und verschwindenden Seelenregungen aufleuchten, deren eine so dünnhäutige Psyche fähig ist – eben strahlt sein Auge in Stolz – ja in Liebe und schon hat ein zudringlicher Blick von Dir ihn beleidigt – eben ließ er Dich in sein blutendes Herz blicken, um mit einer cheveralesken Geste es im nächsten Moment als nur gespielt zu erklären. – Wie liebt er sein Instrument, wie glücklich müßte eine schöne Frau sein, so von ihrem Geliebten behandelt und verstanden zu werden, wie es sein Instrument von ihm erfährt – nie über die Möglichkeiten des Instrumentes hinausgehend, alles ihm entlockend, was an geheimnisvollen Schönheiten in ihm verborgen ruht. Aeolsharfen und Engelsflügelrauschen stehen ihm zu Gebote, wie die bebende einsame Stimme der polnischen Mignon; und wenn wir in der f-moll-Fantasie in entsetzengefüllter, atemloser Spannung, ihn immer rascher seinen Siegeslauf in den Tod reiten sehen; wenn er dann, zusammengebrochen, sich noch dreimal aufrichtet, ehe der Vorhang über die Tragödie fällt – dann wird das Klavier zum Künder letzter Seelenvorgänge, wie sie mit keinem anderen Instrument auszudrücken wären. Auch er ist, gleich Mozart, ein Frühvollendeter und er verkörpert in seinen Werken den Inbegriff einer stolzen Seele, einer glühenden Heimatliebe und eines aristokratischen Sinnes für Schönheit in Farbe und Form.

ROBERT SCHUMANN

Ihm gehört mein Herz vor allen, ihn lieb ich wie einen verehrten Freund, ihm dank ich die schönsten Stunden – ihn beklag ich auch zutiefst, denn die Schatten der Traurigkeit, im Lied das tiefe Leid, senkten sich immer dichter werdend auf ihn herab, lange bevor die vollständige Umnachtung eintrat.

Was wissen wir von seinem Innern, was wissen wir, wo Vernunft aufhört und wo Wahnsinn beginnt? Gewiß war er oft in einem schönen Wahn befangen voller leuchtender Märchen, voller Lichter und Feste, königlichen Stolzes und höchsten Adels voll, und oft glaubte er sich in einen Märchenwald versetzt, wo »blaue Funken brennen an jedem Blatt und Reis und rote Lichter rennen in irrem, wirrem Kreis«, aber er ging auch oft in jenem Zwielicht, in jener Dämmerung, wo man selbst dem Freunde nicht trauen darf – und oft beschlich ihn das Gefühl, daß ihn hier keiner mehr kennt und versteht. Ist das schon Wahn? Und als, jugendfrisch und voll von herrlichen neuen Melodien, der junge Brahms neben ihm auftauchte, da wurde er zwar in höchster Selbstzucht, in idealster Gesinnung sein Prophet, sein Verkünder, aber wissen wir, was, ihm selbst nicht bewußt, im Labyrinth seiner Brust da zerbrach?

Er zog sich in die oberste Etage seines Hauses, in

die letzte Kammer zurück, und sein Tagebuch, nachher von Brahms Hand weitergeführt, verrät nur selten sein Inneres, und schließlich sanken die Schatten der Nacht auf ihn; ein Versuch, die Qual durch den Sprung in den Rhein zu enden, wird zur Ursache des herrlichen tragischen ersten Themas vom d-moll-Konzert von *Brahms* – ab und zu leuchten in seinen langen Dunkelheiten Widerscheine früherer Feuer auf, aber auch der letzte Funken erlischt schließlich, und es bleibt nur die bleiche Lilie auf seinem Grabe, die noch von seinem Erdenwallen kündet.

Doch seine Musik lebt und unter den Händen magisch veranlagter Künstler, Dirigenten, im herrlichen Timbre einer beseelten Stimme erwacht sein ganzes Zauberreich zu neuem Leben: da ersteht das Wien der vierziger Jahre, da jubelt und singt und tanzt es – und der ganze Zug seiner geliebten Gestalten zieht im Karneval an uns vorüber, der Dichter spricht, Eusebius und Florestan sind unter uns – die »Frauenliebe« und die »Dichterliebe« flammen als herrliche Feuer der ewigen Macht des Eros auf dessen Altar. Zwischen Waldszenen, Kinderszenen, Nachtstücken geistert die Figur des Kapellmeisters Kreisler und für uns Pianisten wurde das Triptychon der C-dur-Fantasie zum Sinnbild der Seele des Klaviers. »Ruinen« –

»Vater Rhein« – »Sternennacht« schrieb er über die drei Teile – und wenn die Blumen alle wandern könnten, so zöge ein himmlisches Gefolge der schönsten, der Rosen, der Lilien, der Tulipanen und Kaiserkronen, geführt von der blauen Wunderblume der Romantik an sein Grab, es zu schmücken, und sie sammelten all die Tränen, die er je vergossen und reihten sie perlengleich aneinander und bildeten eine Himmelsleiter bis hinauf zu den Sternen, zu den seligen Gefilden – in denen sein Geist, nun heiter und unbeschwert, wandelt, in ewiger Harmonie.

BEETHOVENS KLAVIERWERKE

Hans v. Bülows Wort »Das wohltemperierte Klavier ist das Alte, die Beethovenschen Sonaten das Neue Testament« gilt auch noch heute. Es ist seither nichts Umfassenderes und Tieferes für Klavier geschaffen worden.

Wie kommt das? – Das Klavier ist ein neutrales Instrument, es verfügt nicht über besondere Klangreize; die übrigen Tasteninstrumente, das alte Spinett mit seinem Silberklang, die Orgel sind ihm darin ebenso überlegen wie die menschliche Stimme oder ein Streichinstrument. Gerade diese Neutralität machten es aber zum geeigneten, vielseitigen Mittler für die verschiedensten Ideen und Charaktere. Es imitiert die Polyphonie der Orgel, wie die Geläufigkeit des Cembalos, es gibt Bläserakkorde wieder, hat die Präzision der Pauke ebenso, wie es den Streicherklang anzudeuten vermag, ja bei liebevoller Behandlung läßt sich sogar eine Melodie »singbar« vortragen. Natürlich ist alles unvollkommen, etwa wie eine Schwarzweißnachbildung gegenüber dem farbigen Gemälde mit seinem Zauber unvollkommen ist, aber es ist immer als treuer Diener da. Und so haben Bach und Beethoven es gebraucht. Wenn heute einem Komponisten ein einigermaßen wertvoller Einfall beschert ist, findet er das Klavier dafür ungeeignet, er sucht entweder das Instrument, dessen besonderer Reiz die Wirkung des Einfalles erhöht, oder er schreibt für mehrere Instrumente; wenn uns die Folgen des Krieges nicht zur Einschränkung gezwungen hätten, ging es weiter in Sinfonien der Tausend. Und das Klavier? Es wird nur noch als Schlagzeug oder Füllstimme benutzt, es ist zum Arrangement-Instrument herabgesunken und die Folgen bleiben nicht aus: Der Hörer fängt an, das Klavier als Instrument zu verachten – und der Spieler fühlt wenig Ansporn und Gelegenheit, das letzte aus sich und dem Instrument herauszuholen. Wie anders bei Bach und Beethoven. Die Fülle ihrer musikalischen Gesichte war so groß, daß sie dem praktischen Instrument vieles anvertrauten, was eigentlich anderen zukam.

Unter Bachs Klavierwerken finde ich solche für Orgel, für Geige, Gesang, Orchester, für Spinett, ja für ein Instrument, das es nicht gibt: ein Instrument, das der algebraischen Formel gleich »Musik an sich« ausdrücken würde. Konzentriertester Extrakt musikalisch logischen Denkens.

Ebenso Beethoven! Welche Herrlichkeiten hat er dem Klavier anvertraut, ganze Sinfonien, Streichquartette, Orgelstücke, Ariosos, Chorsätze, Rezitative, Streicherfugen und spezifisch Klavieristisches – er schrieb dies alles für Klavier. Und welche Lust und Beglückung bot er damit dem Spieler!

Hier bleibt für den Reproduzierenden etwas zu tun übrig, er muß erraten, färben, Schauspieler sein, das Orchester mit der Orgel vertauschen, Pianist, Sänger, Streicher, alles in einer Person sein! – Ist es da ein Wunder, daß durch die Beschäftigung mit dieser Musik die großen Klavierspieler entstanden?

Und damit komme ich zu der Reproduktion Beethovenscher Klavierwerke in unserer Zeit. Ich spreche vielleicht vermessen, aber ich habe folgenden Eindruck: Wir sind zu fein geworden, zu gebildet. Wir haben so feine Sinne für die traditionellen Tempi, für die kleinsten Schwankungen der Auffassungen, wir wissen so genau, wie Beethoven das gewollt hat, wir haben Ausgaben, bei denen auf jede Seite Notentext von Beethoven drei Seiten Erklärungen kommen; wir wissen genau, was jedem Instrument zukommt und muten dem Klavier nichts Unpianistisches zu, wir kennen den frühen Beethoven, den mittleren Beethoven, den alten Beethoven. Wir verfolgen die feinen Unterschiede in Form und Farbe der Epochen: als Beethoven noch hörte und als er taub war – wir wissen so viel, aber die Vulkane, die gebärend in Beethoven kreißten, die Sonnen, die ihm leuchteten, die Schreie, die ihm das Herz zerrissen, – sie erschüttern uns nicht. Und hier liegen die Quellen der Zukunft –: Vergeßt

Klavier, Stil, Erziehung, Wissen, und erlebt Beethoven, orgelt, geigt, pfeift, paukt, singt wieder auf dem Klavier, holt die ganze Welt wieder aus dem Schattenreich der Notenzeichen ins lebendige Licht herauf, spielt die Mondscheinsonate meinetwegen als stockende Totenklage, und instrumentiert den Trauermarsch aus op. 26 aufs modernste, zaubert aus der Waldsteinsonate heute ein Naturidyll, um morgen eine Auseinandersetzung zwischen euch und der Welt zu machen – spielt sie übermorgen formvollendet, reine Musik, wenn ihr so ausgeglichen seid, daß ihr am Formenspiel euch ergötzt; es ist ja alles darin, dann werdet ihr Flügel bekommen, die euch und die anderen ins wahre Reich der Phantasie tragen, die euch dorthin schauen lassen, wo Beethovens Geist weilte. Ihr werdet wieder Freude an diesem herrlichen Klavier haben, das heute alle Farben des Orchesters hat und morgen Töne von sich gibt, die aus anderen Welten stammen!

Und wie gelangt man zu Beethovens eigenstem Musizieren? Man hole die Werke, in denen er am meisten urschöpferisch war, hervor, jene verhältnismäßig unbekannten Stücke, in denen er sich im Momente des Schauens, Schaffens zeigt, die seinen Improvisationen gleichende Fantasie op. 77, die Bagatellen, bei denen er für jedes ein anderes

Instrument benutzt und vor allem die Diabelli-Variationen. Nie hat ein Komponist so umfassend Welten zusammengetragen, Zeiten vorausgeahnt, wie Beethoven in diesen Werken. Hier ist in dreiunddreißig Veränderungen ein Abriß gegeben, welche Möglichkeiten das Klavier hat und wie ein Genie es lebendig macht.

Ehren wir sein Gedächtnis, nicht durch peinliche Tradition – die versteinerte Maske vom Antlitz des einst Lebendigen – sondern Feuer von seinem Feuer, und sei es auch nur ein schwacher Abglanz, wie das ferne Leuchten eines Millionen Lichtjahre entfernten Sternes – aber eines Sternes, der noch eigenes Licht hat – jung und schöpferfroh ist. Denn die beste Art für Beethoven heute zu wirken ist die, zu versuchen, durch intensives Studium seiner Werke sich seiner idealen, göttlichen Denkweise, seinem erhabenen Geiste zu nähern, und nachher bei der Reproduktion durch treueste Hingabe einen Hauch dieses Geistes lebendig werden zu lassen.

INHALT

Insel-Verlag Zweigstelle Wiesbaden
11. bis 13. Tausend: 1952
Dohanydruck Offenbach a. M.
Printed in Germany